paso>a>paso

cocina italiana

paso>a>paso

cocina italiana

un recetario visual explicado paso a paso

Parragon

Bath • New York • Cologne • Melbourne • Delhi
Hong Kong • Shenzhen • Singapore

This edition published by Parragon Books Ltd in 2017 and distributed by:

Parragon Inc.
440 Park Avenue South, 13th Floor
New York, NY 10016, USA
www.parragon.com

ISBN: 978-1-4748-9556-9

Impreso en China/Printed in China

Diseño: Talking Design
Fotografía: Mike Cooper
Estilismo gastronómico: Lincoln Jefferson
Recetas nuevas: Christine France
Introducción: Linda Doeser

Traducción del inglés: Pepa Cornejo Parriego para LocTeam, Barcelona
Redacción y maquetación de la edición en español: LocTeam, Barcelona

Notas para el lector

Todas las cucharadas utilizadas como unidad son rasas: una cucharadita equivale a 5 ml y una cucharada a 15 ml. Si no se indica lo contrario, la leche que se utiliza es entera, los huevos y las hortalizas, como por ejemplo las patatas, son de tamaño mediano, y la pimienta es negra y recién molida.

Los tiempos de preparación y cocción de las recetas son aproximados, ya que pueden variar en función de las técnicas empleadas y del tipo de horno o fogón utilizados. Los ingredientes adicionales, las variaciones y las sugerencias de presentación no se han incluido en los cálculos.

Las recetas que incluyen huevos crudos o poco hechos no son recomendables para niños, ancianos, embarazadas, personas convalecientes y enfermos. Se aconseja a las mujeres embarazadas o lactantes que no consuman cacahuetes ni sus derivados. Las personas alérgicas a los frutos secos deben tener en cuenta que algunos ingredientes preparados de las recetas de este libro pueden contener este ingrediente. Compruebe siempre el envase de los productos antes de consumirlos. Los vegetarianos deben tener en cuenta que algunos ingredientes preparados de las recetas de este libro pueden contener ingredientes animales; verifique siempre el envase de los productos antes de utilizarlos.

tabla de equivalencias

Las equivalencias exactas de la siguiente tabla han sido redondeadas por conveniencia.

medidas de líquidos/sólidos

sistema imperial (EE.UU.)	sistema métrico
1/4 cucharadita	1,25 mililitros
1/2 cucharadita	2,5 mililitros
3/4 cucharadita	4 mililitros
1 cucharadita	5 mililitros
1 cucharada (3 cucharaditas)	15 mililitros
1 onza (de líquido)	30 mililitros
1/4 taza	60 mililitros
1/3 taza	80 mililitros
1/2 taza	120 mililitros
1 taza	240 mililitros
1 pinta (2 tazas)	480 mililitros
1 cuarto de galón (4 tazas)	950 mililitros
1 galón (4 cuartos)	3,84 litros
1 onza (de sólido)	28 gramos
1 libra	454 gramos
2,2 libras	1 kilogramo

temperatura del horno

Fahrenheit	Celsius	gas
225	110	1/4
250	120	1/2
275	140	1
300	150	2
325	160	3
350	180	4
375	190	5
400	200	6
425	220	7
450	230	8
475	240	9

longitud

sistema imperial (EE.UU.)	sistema métrico
1/8 pulgada	3 milímetros
1/4 pulgada	6 milímetros
1/2 pulgada	1,25 centímetros
1 pulgada	2,5 centímetros

contenido

introducción

Este magnífico libro de cocina, profusamente ilustrado, será una valiosa joya en su biblioteca culinaria. Las recetas son deliciosas, auténticas, claras y fáciles de seguir gracias a sus espléndidas fotografías, de manera que, tenga o no experiencia en la cocina, el éxito está prácticamente garantizado.

Cada receta comienza con una fotografía de todos los ingredientes, aunque no se trata de una bonita imagen sin más o, peor aún, de un montaje en el que una aceituna parece del mismo tamaño que un limón. Al contrario, las imágenes del libro sirven de guía para comprobar que dispone de todo lo necesario antes de ponerse a cocinar. Basta con comparar la fotografía con los ingredientes dispuestos en la mesa de su cocina para asegurarse de que no ha olvidado nada y de que cuando tenga que añadir el perejil, por ejemplo, ya lo tendrá picado como se indica en la lista de ingredientes. Si no sabe el grosor que han de tener las rodajas de tomate o los dados de berenjena, con echar un vistazo a la fotografía saldrá de dudas.

En la descripción clara y concisa de los pasos se han evitado tecnicismos que puedan desorientar al lector. También en este caso, la fotografía es muy parecida al resultado obtenido. Esto no solo supone un alivio para el cocinero novel, sino también una gran ayuda para que los más experimentados no pasen por alto pequeños detalles. Las recetas concluyen con una fotografía del plato terminado con la correspondiente sugerencia de presentación.

Utilidad de este libro

La comida italiana se cuenta entre las más sabrosas del mundo, y la dieta mediterránea es una de las más saludables. Al ser una cocina variada, popular entre niños y adultos, resulta ideal para las comidas familiares. Su clave es la sencillez, pero cada plato está preparado con esmero para resaltar el sabor de cada ingrediente, cuidadosamente escogido.

Las 60 sencillas recetas de este libro le permitirán recrear el auténtico sabor de Italia. Puede escoger platos sueltos para una cena rápida e informal entre semana o preparar un completo menú italiano para una ocasión especial. Podría empezar con una sopa o un entrante, seguido de un primer plato de pasta o risotto, y después de un segundo plato de carne, ave o pescado, para acabar triunfalmente con un riquísimo dulce, como un cremoso pastel o un refrescante helado.

>1 >2 >3

>1

>2

>3

>4

>5

>6

claves del éxito

> Los platos sencillos con pocos ingredientes requieren los productos más frescos y de mejor calidad; lo ideal es comprar fruta y verdura de temporada.

> Suele merecer la pena comprar conservas, arroz y pasta de marcas italianas, ya que han sido probadas en cocinas de toda Italia. Para hacer pasta es mejor la harina italiana de tipo 00.

> Utilice siempre aceite de oliva. El extra virgen es el de mejor calidad, y el más caro, y procede de la primera presión en frío; utilícelo para aliñar ensaladas. El aceite virgen proviene de la segunda presión y es perfecto para cocinar. El aceite de oliva corriente proviene de la tercera o cuarta presión, habrá sido refinado y quizá tratado con calor. Su sabor es decepcionante, así que lo mejor es evitarlo.

> Compre siempre queso parmesano en cuña para rallarlo cuando lo necesite. Se conserva bien en el frigorífico envuelto en papel encerado. El parmesano ya rallado es caro y pierde su sabor enseguida.

> La pasta seca se conserva casi indefinidamente, pero conviene prestar atención a la fecha de caducidad de otros ingredientes, como la harina, la polenta y los frutos secos. La levadura pierde rápidamente su capacidad de fermentar, así que si piensa preparar pizza, revise la fecha de caducidad. También las especias pierden su aroma enseguida: cómprelas en pequeñas cantidades y almacénelas en un lugar fresco y oscuro.

Para conseguir una pasta perfecta, necesitará 4 l de agua y 3 cucharadas de sal por cada 300 o 450 g de pasta seca o fresca. La sal es esencial para evitar que se pegue la pasta, pero esta absorbe muy poca sal. Lleve el agua salada a ebullición en una olla grande. No es necesario añadir aceite. Agregue la pasta, remueva y espere a que el agua vuelva a hervir antes de empezar a controlar el tiempo. No baje el fuego; el agua debe hervir a fuego fuerte, no lento. Cueza de 8 a 12 minutos la pasta seca sin relleno y 2 o 3 minutos la pasta fresca sin relleno. Cueza de 15 a 20 minutos la pasta seca rellena y de 8 a 10 minutos la pasta fresca rellena. Escurra la pasta con un colador o retírela de la olla con una cuchara para pasta o una espumadera. Es mejor dejar la pasta un poco húmeda que escurrirla del todo. Para comprobar si la pasta está lista, corte un pedacito con un tenedor y pruébelo. Debería estar «al dente», es decir, tierna pero firme. Es recomendable empezar a probarla antes de que esté lista.

> Para conseguir una polenta perfecta, tenga en cuenta que la polenta tradicional tarda mucho más en cocer que la instantánea. Para ambos tipos, lleve a ebullición 1,25 l de agua salada en una olla grande. Espolvoree 175 g de polenta en la olla con una mano mientras remueve vigorosamente con una cuchara de madera hasta que toda la polenta se haya mezclado. Para cocer polenta instantánea, remueva constantemente durante 3 o 4 minutos. Cueza la polenta tradicional a fuego muy lento, removiendo a menudo, de 40 a 45 minutos, hasta que la mezcla se despegue de las paredes de la olla.

para ganar tiempo

> Tómese todo el tiempo necesario para cocinar y no intente nunca acelerar los procesos. Los italianos disfrutan tanto cocinando como comiendo, y algunos platos, en particular el risotto, requieren una atención casi constante.

> Para pelar ajo, aplaste un poco el diente con la hoja de un cuchillo; así la piel se desprenderá fácilmente.

> Para trocear tomates secos, jamón, beicon, anchoas, aceitunas y hierbas frescas es mejor utilizar tijeras de cocina que cuchillo.

> Trocee con las manos las hojas para ensalada y las hierbas delicadas, como la albahaca, en vez de cortarlas: es más rápido y evita que se ennegrezcan.

> Para pelar tomates, melocotones y nectarinas, hágales un corte en la piel, métalos en un bol resistente al calor y cúbralos con agua hirviendo. Manténgalos así de 30 a 60 segundos, después escúrralos y pélelos. Este método también es útil para pelar chalotas, pero no hay que hacerles la incisión previa en la piel.

> Para pelar pimientos, colóquelos en la bandeja del horno bajo el grill precalentado durante 10 o 15 minutos, dándoles la vuelta de vez en cuando. Cuando la piel esté levantada y chamuscada, sáquelos con unas pinzas y métalos en una bolsa de plástico. Átela y déjelos enfriar hasta que pueda manipularlos. Después sáquelos de la bolsa y pélelos.

> Para preparar un aliño de ensalada, como una vinagreta, coloque los ingredientes dentro de un frasco, cierre la tapa y agítelo bien.

> Para rallar pan, quítele la corteza y trocéelo; luego introdúzcalo en el robot de cocina o en la picadora con el motor en funcionamiento.

> Si va a usar el horno o el grill, enciéndalo justo antes de empezar a preparar la comida. Los hornos pueden llegar a tardar 15 minutos en alcanzar la temperatura necesaria.

utensilios prácticos

> **Batería de cocina:** Una buena batería de fondo pesado es una excelente inversión, pues durará toda la vida si se cuida. Disponer de cazuelas de varios tamaños permite tener el recipiente apropiado para la cantidad de comida que se cocina. La pasta, por ejemplo, requiere mucha agua y una olla grande para evitar que se pegue o se desborde al hervir. También se necesita una olla de gran tamaño para remover el risotto, pues si no puede derramarse sobre el fogón. Las cazuelas medianas y pequeñas son ideales para verduras y salsas. En una demasiado grande la comida puede pegarse, y en una demasiado pequeña se cocinará de forma poco uniforme. Los revestimientos antiadherentes son una elección personal.

> **Olla para pasta:** Se trata de una olla alta con un escurridor interior que permite escurrir la pasta cuando está cocida. No es imprescindible y puede ocupar demasiado espacio en la cocina.

> **Colador:** Use un colador para escurrir pasta y salar hortalizas como las berenjenas. Compre uno de al menos 28 cm de diámetro y con una base o patas sólidas para apoyarlo con seguridad. Un colador con dos asas es más fácil de levantar. Puede ser de acero inoxidable, esmaltado o de plástico.

> **Sartén:** Si solo va a comprar una, elíjala grande y de fondo pesado. Sin embargo, una mediana resulta práctica para freír picatostes o para hacer tortillas.

Cuchillos: Unos cuchillos de buena calidad, pesados y equilibrados son esenciales en la cocina. Lo mínimo es disponer de un cuchillo para verduras y un cuchillo de chef. Manténgalos en buen estado con una piedra de afilar y guárdelos en un bloque para cuchillos. Los cuchillos afilados no solo son más fáciles de usar, sino también más seguros, ya que no resbalan.

> **Cuencos:** Un surtido de cuencos es útil para organizar los ingredientes antes de cocinar (pequeños), batir huevos (medianos) y elaborar masas (grandes). Es recomendable tener algún cuenco resistente al calor para derretir chocolate y batir cremas al baño María.

> **Máquina para pasta:** Si va a preparar mucha pasta, este aparato hace menos pesado el trabajo de extenderla. Las hay manuales y eléctricas, pero todas funcionan de la misma forma. Corte la masa en unos seis trozos. Envuelva en film transparente los que no vaya a usar de inmediato para evitar que se sequen. Extienda un trozo, dóblelo tres veces y páselo entre los rodillos con la máxima separación. Vuelva a doblarlo y extenderlo tres o cuatro veces, y colóquelo sobre un paño limpio. Doble y extienda igual los demás trozos de masa, y luego acerque los rodillos un punto. Pase otra vez todas las tiras de masa sin doblar por la máquina. Siga estirando la masa y cerrando los rodillos un punto cada vez, hasta que haya usado la posición más estrecha. No se salte ningún punto. Existen accesorios para cortar tiras con varias formas, y puede cortar otras a mano.

> **Rodillo de amasar y tabla:** No es necesario usar una máquina para extender la masa: puede hacerlo con un rodillo igual que con las masas de repostería. Sin embargo, a diferencia de estas, la pasta no responde bien a superficies frías, por lo que es mejor utilizar una tabla de madera. Espolvoree la tabla con harina para evitar que se pegue la masa, aunque si usa sémola obtendrá un sabor menos harinoso. Para empezar, doble y estire trozos de masa, como para la máquina, y después estírela de manera que quede una lámina fina de un grosor homogéneo. Existen cortadores de madera para pasta con varias formas para cortar la pasta a mano. Utilícelos y guárdelos con cuidado, son muy frágiles.

> **Bandeja para ravioli:** Es una bandeja metálica dividida en cuadrados con bordes anchos y planos. Sirve para hacer ravioli del mismo tamaño y para que los bordes queden bien sellados.

> **Cortador de ravioli:** Es como un molde para galletas y sirve para cortar la pasta para ravioli grandes.

> **Rueda para cortar pasta:** Puede usar un cortador normal de repostería para cortar la masa, pero una rueda para pasta suele ser más robusta, proporciona un corte limpio y puede tener ruedas extraíbles para conseguir bordes lisos o en zigzag.

> **Mortero:** Este utensilio se usa para machacar, moler y mezclar ingredientes, como frutos secos. Se utiliza tradicionalmente para preparar pesto.

> **Tamiz:** Los tamices de acero inoxidable y malla fina son muy útiles para tamizar harina, escurrir verduras, colar salsas y espolvorear cacao en polvo o azúcar glas sobre postres y pasteles. Conviene tener un tamiz de nailon para las mezclas ácidas, como purés de fruta, que un tamiz de metal podría oxidar.

> **Rallador:** Resulta práctico disponer de un rallador con varias superficies de corte de distinto grosor. Este tipo de rallador es resistente y fácil de usar, aunque ocupa espacio y a veces resulta un fastidio limpiar los restos que quedan en el interior. Los ralladores giratorios son muy seguros y suelen incluir cuchillas para diferentes grosores de rallado; son los más adecuados para rallar chocolate. Los ralladores planos pueden tener superficies para rallado fino, medio o grueso; lo mejor es comprarlos por separado.

entrantes

>4

>5

>6

ensalada de jamón y salami con higos

para 6 personas

ingredientes

6 higos maduros
6 lonchas (fetas) finas de
  jamón serrano

12 lonchas (fetas) finas de
  salami (salame)
1 ramillete de albahaca fresca
  separado en brotes

unos brotes de menta fresca
1 puñado de hojas de rúcula
2 cucharadas de zumo (jugo)
  de limón

4 cucharadas de aceite
  de oliva virgen extra
sal y pimienta

>1 Recorte los pedúnculos de los higos. Después corte los higos en cuartos.

>2 Disponga el jamón y el salami en una fuente grande.

>3 Lave y seque las hierbas y la rúcula, y colóquelas en un cuenco con los higos cortados.

>4 Mezcle el zumo de limón y el aceite en un cuenco pequeño y salpimiente al gusto.

>5 Vierta la mezcla de zumo de limón y aceite en el cuenco con las hierbas, la rúcula y los higos. Remueva con cuidado hasta que todos los ingredientes queden bien aliñados.

>6 Coloque los higos y la ensalada encima de los fiambres en la fuente.

Sirva enseguida.

bruschetta de setas silvestres

para 4 personas

ingredientes

4 rebanadas de pan rústico, como el de hogaza

3 dientes de ajo, 1 cortado por la mitad y 2 picados finos

3 cucharadas de aceite de oliva virgen extra

225 g de setas (hongos) variadas, como porcini, rebozuelos y champiñones silvestres

25 g de mantequilla (manteca)

1 cebolla pequeña picada fina

50 ml de vino blanco seco

sal y pimienta

2 cucharadas de perejil picado grueso, para aderezar

> **1** Precaliente el grill a fuego medio. Tueste las rebanadas de pan bajo el grill por ambos lados.

> **2** Frote el pan con las mitades de ajo y rocíelo con 2 cucharadas de aceite. Manténgalo templado.

> **3** Limpie las setas con cuidado para eliminar los restos de tierra y córtelas en trozos grandes.

> **4** Caliente el aceite restante con la mitad de la mantequilla en una sartén, añada las setas y sofríalas a fuego medio unos 3 o 4 minutos, removiéndolas hasta que estén tiernas. Retírelas con una espumadera y manténgalas templadas.

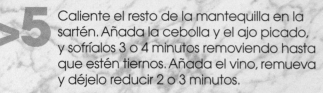

>5 Caliente el resto de la mantequilla en la sartén. Añada la cebolla y el ajo picado, y sofríalos 3 o 4 minutos removiendo hasta que estén tiernos. Añada el vino, remueva y déjelo reducir 2 o 3 minutos.

>6 Devuelva las setas a la sartén y caliéntelas de nuevo. La salsa debería ser lo bastante espesa como para glasearlas. Salpiméntelas al gusto.

Reparta las setas sobre el pan tostado,
esparza el perejil por encima y sírvalas.

sopa de tomate con pasta

para 4 personas

ingredientes

1 cucharada de aceite
  de oliva
4 tomates pera grandes
1 cebolla cortada en cuartos
1 diente de ajo fileteado fino
1 tallo de apio troceado
500 ml de caldo de pollo
50 g de pasta seca para sopa
sal y pimienta
perejil picado grueso, para
  decorar

>1 Vierta el aceite en una cacerola de fondo pesado y añada los tomates, la cebolla, el ajo y el apio. Tápela y cocine a fuego lento durante 45 minutos, removiendo suavemente de vez en cuando, hasta que las verduras estén tiernas.

>2 Ponga la mezcla en una picadora y tritúrela hasta obtener un puré fino.

Reparta la sopa en platos hondos templados, esparza el perejil por encima y sírvala enseguida.

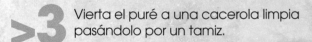**>3** Vierta el puré a una cacerola limpia pasándolo por un tamiz.

>4 Agregue el caldo y llévelo a ebullición. Añada la pasta y hiérvala entre 8 y 10 minutos, hasta que esté tierna, pero firme. Salpimiente al gusto.

ensalada de judías verdes y alubias

para 4 personas

ingredientes

100 g de alubias blancas
(porotos) en remojo desde la
noche anterior y escurridas

225 g de judías verdes
(chauchas) sin las puntas

¼ cebolla roja cortada fina

12 aceitunas negras
deshuesadas (descarozadas)

1 cucharada de cebollino
(ciboulette) troceado

aliño

½ cucharada de zumo (jugo)
de limón

½ cucharadita de mostaza
de Dijon

6 cucharadas de aceite
de oliva virgen extra

sal y pimienta

>1 Coloque las alubias blancas en una cacerola grande. Cúbralas con agua fría y llévelas a ebullición. Hiérvalas a fuego fuerte durante 15 minutos, después reduzca el fuego y déjelas cocer otros 30 minutos o hasta que estén tiernas. Escúrralas y resérvelas.

>2 Mientras, eche las judías verdes en una cacerola grande con agua hirviendo. Llévelas a ebullición y déjelas cocer 4 minutos, hasta que estén tiernas pero conserven su color brillante. Escúrralas y resérvelas.

>3 Mezcle los ingredientes del aliño, salpiméntelos al gusto y después déjelos reposar.

>4 Ponga las judías y las alubias aún calientes en una fuente.

>5 Esparza por encima la cebolla, las aceitunas y el cebollino.

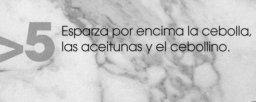

>6 Agite de nuevo el aliño y viértalo sobre la ensalada.

Sírvala a temperatura ambiente.

mejillones gratinados con parmesano y pan rallado

para 4 personas

ingredientes

1 kg de mejillones frescos

2 cucharadas de aceite
 de oliva

2 chalotas (echalotes)
 picadas finas

1 diente de ajo majado

50 ml de vino blanco seco

40 g de pan blanco recién
 rallado

ralladura fina de 1 limón

3 cucharadas de perejil fresco
 picado

30 g de parmesano rallado
 fino

sal y pimienta

>1 Limpie los mejillones raspándoles las valvas y arrancándoles todas las barbas. Deseche los que tengan las valvas rotas y los que no se cierren al darles un golpecito.

>2 Caliente la mitad del aceite en una cacerola grande y dore las chalotas y el ajo 2 o 3 minutos, hasta que estén tiernos. Añada los mejillones y el vino, tápelos y déjelos cocer a fuego fuerte durante 2 o 3 minutos, agitando la cacerola hasta que los mejillones se abran.

>3 Deseche los mejillones que no se hayan abierto. Escurra los restantes y reserve el caldo de la cocción. Descarte las valvas superiores (las vacías). Si es necesario, ponga a hervir el caldo para reducirlo a 3 cucharadas.

>4 Mezcle el pan rallado, la ralladura de limón, el perejil, el parmesano y el caldo de la cocción y salpimiente al gusto.

>5 Precaliente el grill del horno a la temperatura máxima. Unte un poco de la mezcla de pan rallado sobre cada mejillón.

>6 Vierta el aceite restante sobre los mejillones y gratínelos bajo el grill precalentado 2 o 3 minutos, hasta que burbujeen.

Páselos a una fuente
y sírvalos enseguida.

ensalada tricolor

para 4 personas

ingredientes
280 g de mozzarella escurrida
8 tomates pera
20 hojas de albahaca fresca
125 ml de aceite
  de oliva virgen extra
sal y pimienta

>1 Corte la mozzarella en rodajas finas.

>2 Corte los tomates en rodajas finas.

34

Sirva enseguida.

>3 Reparta las rodajas de mozzarella y tomate en platos individuales y sálelas al gusto. Reserve en un lugar fresco durante 30 minutos.

>4 Esparza las hojas de albahaca sobre la ensalada. Después, aliñela con aceite y añádale pimienta al gusto.

pimientos y tomates asados

para 4 personas

ingredientes

2 pimientos (morrones) rojos
2 pimientos (morrones) amarillos

2 pimientos (morrones) naranjas
4 tomates cortados por la mitad

1 cucharada de aceite de oliva
3 dientes de ajo picados
1 cebolla cortada en aros

2 cucharadas de tomillo fresco picado
sal y pimienta

>1 Precaliente el grill a temperatura media. Corte los pimientos por la mitad y retire las semillas.

>2 Reparta los pimientos en dos bandejas de horno con la piel hacia arriba y póngalos 10 minutos bajo el grill precalentado.

>3 Disponga asimismo los tomates en las bandejas y hornéelo todo 5 minutos más, hasta que la piel de pimientos y tomates esté ligeramente chamuscada.

>4 Ponga los pimientos a sudar en una bolsa durante 10 minutos; esto le permitirá pelarlos más fácilmente.

>5 Pele los tomates, deseche las pieles y pique la pulpa.

>6 Pele los pimientos y córtelos en tiras.

>7 Caliente el aceite en una sartén grande y sofría el ajo y la cebolla, removiendo, durante 3 o 4 minutos o hasta que estén tiernos.

>8 Añada los pimientos y los tomates a la sartén y rehóguelos durante 5 minutos. Incorpore el tomillo, remueva y salpimiente al gusto.

Reparta la mezcla de tomate
y pimiento en platos hondos y
sírvala templada o fría.

sopa tradicional de alubias y berza

para 6 personas

ingredientes

200 g de alubias blancas (porotos) en remojo desde la noche anterior y escurridas

3 cucharadas de aceite de oliva

2 cebollas rojas picadas

4 zanahorias en rodajas

4 tallos de apio troceados

4 dientes de ajo picados

600 ml de caldo de verduras

400 g de tomate triturado en conserva

2 cucharadas de perejil fresco picado

500 g de berza en tiras finas

1 panecillo de chapata (ciabatta) del día anterior troceado

sal y pimienta

aceite de oliva virgen extra, para aderezar

>1 Coloque las alubias en una cacerola grande. Cúbralas con agua fría y llévelas a ebullición. Retire la espuma, reduzca el fuego y déjelas hervir sin tapar, entre 60 y 90 minutos, hasta que estén tiernas.

>2 Mientras, caliente el aceite en otra cacerola y rehogue las cebollas, las zanahorias y el apio a fuego medio de 10 a 15 minutos, hasta que las verduras estén tiernas. Añada el ajo y cueza 1 o 2 minutos más.

>3 Escurra las alubias y reserve el caldo de cocción. Añada la mitad de las alubias a las verduras. Incorpore el caldo, el tomate y el perejil y salpimiente al gusto.

>4 Lleve la sopa a ebullición y deje cocer 30 minutos destapada, removiendo de vez en cuando. Añada la berza y deje que cueza, removiendo ocasionalmente, otros 15 minutos.

>5 Ponga el resto de las alubias en la picadora con un poco del caldo de cocción y tritúrelas hasta conseguir una pasta suave. Añádala a la sopa.

>6 Añada el pan y remueva. La sopa tiene que quedar bastante espesa, pero puede añadir más caldo de cocción si lo desea.

Sirva la sopa enseguida en platos templados, aderezada con un poco de aceite de oliva virgen extra.

frittata de calabacín

para 4-6 personas

ingredientes
1 cebolla roja
4 calabacines (zapallitos)
3 cucharadas de aceite
 de oliva
1 diente de ajo picado fino
5 huevos grandes
4 cucharadas de perejil
 fresco picado
sal y pimienta

> **>1** Corte la cebolla en rodajas finas y los calabacines en dados de 1 cm.

> **>2** Caliente el aceite en una sartén. Sofría la cebolla, el calabacín y el ajo removiéndolos hasta que estén tiernos.

Corte la frittata en cuñas y sírvala templada o fría.

>3 Bata los huevos, salpimiéntelos al gusto e incorpórelos a la sartén con el perejil. Cocine la frittata a fuego lento 10 minutos sin dejar que el huevo llegue a cuajarse.

>4 Precaliente el grill del horno a la temperatura máxima. Ponga la frittata bajo el grill hasta que la parte de arriba se cuaje.

45

crostini al estilo florentino

para 6 personas

ingredientes

6 rebanadas de pan de chapata (ciabatta)

2 dientes de ajo, 1 cortado por la mitad y 1 majado

2 cucharadas de aceite de oliva virgen extra

3 cucharadas de aceite de oliva

1 cebolla troceada

1 tallo de apio troceado

1 zanahoria troceada

125 g de higadillos de pollo

125 g de hígado de ternera, cordero o cerdo

150 ml de vino tinto

1 cucharada de tomate triturado

2 cucharadas de perejil fresco picado

3 o 4 filetes de anchoa en conserva escurridos y picados finos

2 cucharadas de agua

25-40 g de mantequilla (manteca)

1 cucharada de alcaparras

sal y pimienta

Precaliente el grill a temperatura media.
Tueste las rebanadas de pan bajo el grill
por ambos lados.

 Frote las rebanadas de pan con las mitades
de ajo y úntelas con el aceite de oliva virgen
extra. Páselas a una fuente de horno
y manténgalas calientes.

 Caliente el aceite de oliva en una cacerola,
y añada la cebolla, el apio, la zanahoria y el
ajo. Póchelos suavemente 4 o 5 minutos, o
hasta que la cebolla esté transparente.

 Mientras, lave y seque los higadillos de pollo.
Seque el hígado de ternera y córtelo en tiras.

> **5** Añada el hígado a la cacerola y fríalo unos minutos, hasta que esté dorado por todos los lados. Añada la mitad del vino y deje que hierva hasta que prácticamente se haya evaporado.

> **6** Incorpore el resto del vino, el tomate, la mitad del perejil, las anchoas, el agua, un poco de sal y mucha pimienta. Tápelo y déjelo hervir de 15 a 20 minutos, removiendo de vez en cuando, hasta que casi no quede líquido.

> **7** Déjelo enfriar un poco, luego eche la mezcla en la picadora y tritúrela hasta conseguir un picadillo.

> **8** Eche de nuevo el picadillo en la cacerola e incorpore la mantequilla, las alcaparras y el resto del perejil. Caliente a fuego lento hasta que la mantequilla se derrita. Rectifique de sal y pimienta.

Sírvalo caliente o frío sobre el pan tostado.

ensalada de rúcula y parmesano con piñones

para 4 personas

ingredientes

2 puñados de hojas de rúcula
1 bulbo de hinojo pequeño
5 cucharadas de aceite
  de oliva

2 cucharadas de vinagre
  balsámico
100 g de parmesano
50 g de piñones
sal y pimienta

>1 Lave la rúcula, deseche hojas marchitas y los tallos gruesos, y séquela con papel de cocina. Repártala en platos individuales.

>2 Corte el bulbo de hinojo por la mitad y en rodajas finas. Dispóngalo sobre la rúcula.

>3 Mezcle el aceite y el vinagre con sal y pimienta al gusto. Rocíe las ensaladas con un poco de aliño.

>4 Corte lascas de parmesano finas con un cuchillo o un pelador.

>5 Tueste los piñones en una sartén hasta que estén dorados.

>6 Corone las ensaladas con las lascas de parmesano y los piñones tostados.

Sirva enseguida.

carpaccio de ternera

para 4 personas

ingredientes
200 g de solomillo de ternera
en una pieza
2 cucharadas de zumo (jugo)
de limón
4 cucharadas de aceite
de oliva virgen extra
50 g de parmesano
en lascas (escamas)
4 cucharadas de perejil
fresco picado
sal y pimienta
rodajas de limón, para decorar
pan crujiente, para
acompañar

>**1** Con un cuchillo muy afilado, corte la carne en lonchas muy finas y dispóngala en 4 platos.

>**2** Mezcle el zumo de limón con el aceite en un cuenco. Salpiméntelo al gusto.

Adórnelos con rodajas de
limón y sirva con pan.

>3 Vierta el aliño sobre la carne. Cubra
los platos con film transparente y déjela
macerar entre 10 y 15 minutos.

>4 Retire el film. Disponga las lascas de
parmesano en el centro de cada plato
y espolvoree con perejil.

sopa de patata y pasta con pesto

para 4 personas

ingredientes

450 g de patatas (papas)
  harinosas
3 lonchas (fetas) de beicon
  (panceta) picadas
2 cucharadas de aceite
  de oliva

450 g de cebolla picada fina
600 ml de caldo de pollo
600 ml de leche
100 g de conchigliette secas
150 ml de nata (crema)
2 cucharadas de perejil fresco
  picado

sal y pimienta
parmesano en lascas
  (escamas), para aderezar

pesto

50 g de perejil fresco
2 dientes de ajo picados

50 g de piñones
2 cucharadas de hojas frescas
  de albahaca picadas
50 g de parmesano rallado
150 ml de aceite de oliva

>1 Para elaborar el pesto, ponga todos los ingredientes en la picadora o en la batidora y tritúrelos durante 2 minutos. También puede hacerlo de forma manual con el mortero.

>2 Pele las patatas y córtelas en trozos pequeños.

>3 Dore el beicon en una cacerola a fuego medio durante 4 minutos. Añada el aceite, las patatas y la cebolla y sofríalo todo durante 12 minutos.

>4 Vierta el caldo y la leche en la cacerola, llévelo todo a ebullición y deje hervir 10 minutos.

>5 Añada la pasta y déjela cocer otros 10 o 12 minutos.

>6 Agregue la nata, remueva y deje cocer 5 minutos. Añada el perejil picado y 2 cucharadas de pesto. Salpimiente al gusto.

Sirva la sopa en cuencos y decórela
con lascas de parmesano.

sardinas con piñones y pasas

para 4 personas

ingredientes

1 cebolla roja pequeña
cortada fina

1 cucharada de aceite
de oliva

4 cucharadas de zumo (jugo)
de limón

50 g de uvas pasas

4 cucharadas de perejil
picado grueso, y un poco
más para decorar

50 g de piñones un poco
tostados, y un poco más para
decorar

8-12 sardinas frescas, limpias y
sin cabeza

sal y pimienta

>1 Precaliente el horno a 200 °C. Ponga la cebolla en un cazo con el aceite y 3 cucharadas de zumo de limón.

>2 Poche la cebolla a fuego lento 2 o 3 minutos, removiendo hasta que esté tierna. Apártela del fuego e incorpore las pasas.

>3 Añada el perejil y los piñones a la cebolla.

>4 Coloque las sardinas abiertas sobre una tabla con la espina hacia arriba. Sujete con una mano los lomos y con la otra desprenda las espinas tirando desde la cabeza hacia la cola. Deles la vuelta y retire las demás espinas.

>5 Unte las sardinas con el sofrito
y enróllelas.

>6 Disponga las sardinas en una sola
capa en una fuente de horno,
salpiméntelas al gusto y riéguelas
con el resto del zumo de limón.
Áselas durante unos 10 minutos
en el horno precalentado.

Sírvalas calientes o frías, con los piñones
y el perejil por encima.

salsa de anchoas y ajo

para 4 personas

ingredientes

40 g de mantequilla (manteca)
  sin sal
3 dientes de ajo majados
6 filetes de anchoa en
  salmuera lavados
150 ml de aceite de oliva
hortalizas crudas, como
  pimientos, apio, hinojo y
  cebolletas (cebolla de
  verdeo), para decorar

>1 Ponga la mantequilla y el ajo en un cazo a fuego lento y remueva hasta que la mantequilla se derrita.

>2 Déjelo cocer durante unos 2 minutos, hasta que el ajo esté tierno pero no dorado.

Sirva la salsa caliente junto
con las verduras.

>3 Añada las anchoas y el aceite, y caliéntelo
todo a fuego lento, removiendo hasta que
las anchoas se disuelvan en el aceite y la
salsa se espese.

>4 Prepare las verduras cortándolas en tiras
y colocándolas en una fuente grande.

primeros platos

>4

>5

>6

tagliatelle con salsa de carne

para 4 personas

ingredientes

4 cucharadas de aceite
  de oliva, y un poco más
  para aliñar
85 g de beicon (panceta)
  en taquitos
1 cebolla troceada

1 diente de ajo picado fino
1 zanahoria troceada
1 tallo de apio troceado
225 g de carne de ternera
  picada
125 g de higadillos de pollo
  troceados

2 cucharadas de passata de
  tomate
125 ml de vino blanco seco
225 ml de caldo de carne
1 cucharada de orégano
  fresco picado

1 hoja de laurel
450 g de tagliatelle secos
sal y pimienta
parmesano rallado,
  para decorar

>1 Caliente el aceite en una cacerola grande. Añada el beicon y sofríalo a fuego medio entre 3 y 5 minutos, removiendo de vez en cuando hasta que empiece a dorarse.

>2 Incorpore la cebolla, el ajo, la zanahoria y el apio, y sofríalos, removiendo de vez en cuando, al menos otros 5 minutos.

>3 Añada la carne y fríala a fuego fuerte durante 5 minutos, desmigándola con una cuchara de madera, hasta que se dore.

>4 Incorpore los higadillos de pollo y fríalos, removiendo de vez en cuando, durante otros 2 o 3 minutos.

>5 Añada la passata, el vino, el caldo, el orégano y el laurel y salpiméntelos al gusto. Lleve la salsa a ebullición, reduzca el fuego, tápela y déjela hervir entre 30 y 35 minutos.

>6 Mientras, ponga a hervir agua con un poco de sal en una cacerola. Añada la pasta y hiérvala entre 8 y 10 minutos, hasta que esté tierna pero firme.

>7 Escurra la pasta y pásela a una fuente templada. Rocíela con un poco de aceite y remuévala bien.

>8 Retire la hoja de laurel de la salsa y deséchela. Después, vierta la salsa sobre la pasta y vuelva a remover.

Sirva la pasta enseguida con
el parmesano rallado.

risotto de pollo con azafrán

para 4 personas

ingredientes

125 g de mantequilla
  (manteca)
900 g de pechugas de pollo sin
  piel ni huesos, fileteadas finas

1 cebolla grande troceada
500 g de arroz para risotto
150 ml de vino blanco
1 cucharadita de hebras
  de azafrán

1,25 litros de caldo de pollo
  caliente
50 g de parmesano rallado
sal y pimienta

>1 Caliente 50 g de mantequilla en una cazuela. Añada el pollo y la cebolla y sofríalos, removiendo con frecuencia, durante 8 minutos o hasta que se doren.

>2 Incorpore el arroz y remueva para que se impregne de mantequilla. Rehogue removiendo sin parar 2 o 3 minutos o hasta que los granos estén transparentes.

>3 Añada el vino y siga removiendo durante 1 minuto hasta que reduzca.

>4 Mezcle el azafrán con 4 cucharadas de caldo caliente. Añada el líquido al arroz y remueva sin parar hasta que lo absorba.

>5 Agregue poco a poco el resto del caldo con un cucharón. Vaya añadiendo líquido a medida que el arroz absorba el que ya tiene. Remueva durante 20 minutos o hasta que el arroz haya absorbido todo el líquido y esté cremoso.

>6 Retire el arroz del fuego y añada el resto de la mantequilla. Remuévalo bien e incorpore el parmesano y deje que se funda. Salpimiéntelo al gusto.

Reparta el risotto en platos templados
y sirva enseguida.

macarrones con garbanzos a las finas hierbas

para 4 personas

ingredientes

350 g de macarrones secos
3 cucharadas de aceite
  de oliva
1 cebolla picada fina
1 diente de ajo majado
400 g de garbanzos en
  conserva escurridos
4 cucharadas de passata
  de tomate
2 cucharadas de orégano
  fresco picado
1 puñadito de hojas de
  albahaca troceadas, y unos
  brotes para decorar
sal y pimienta

>1 Ponga a hervir agua con un poco de sal en una cacerola. Añada la pasta y hiérvala entre 8 y 10 minutos, hasta que esté tierna pero firme. Escúrralos bien.

>2 Mientras, caliente el aceite en una cacerola y sofría la cebolla y el ajo removiendo de vez en cuando durante 4 o 5 minutos, hasta que se doren.

Sirva la pasta en platos hondos adornada con los brotes de albahaca.

>3 Añada los garbanzos y la passata a la cacerola y vaya removiendo hasta estén calientes.

>4 Incorpore la pasta a la cacerola con el orégano y la albahaca. Salpimiéntela al gusto.

canelones de espinacas y ricota

para 4 personas

ingredientes
mantequilla (manteca)
  derretida, para engrasar
12 tubos de canelones de
  unos 7,5 cm cada uno
sal y pimienta

para el relleno
150 g de espinacas
  descongeladas y escurridas
125 g de ricota
1 huevo

3 cucharadas de pecorino
  rallado
una pizca de nuez moscada
  recién rallada

para la salsa de queso
25 g de mantequilla (manteca)
2 cucharadas de harina
600 ml de leche caliente
85 g de gruyer rallado

>**1** Precaliente el horno a 180 °C. Engrase una fuente rectangular para horno con la mantequilla derretida.

>**2** Ponga a hervir agua con un poco de sal en una cazuela. Añada los tubos de canelones, lleve el agua de nuevo a ebullición y deje cocer 6 o 7 minutos, hasta que los canelones casi estén blandos. Escúrralos, enjuáguelos y dispóngalos sobre un paño limpio.

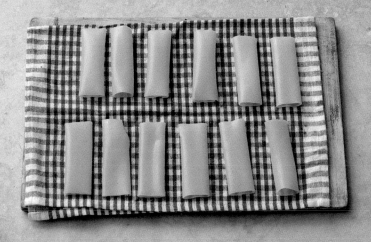

>**3** Para el relleno, ponga las espinacas y la ricota en una picadora y tritúrelas hasta que queden bien mezcladas. Añada el huevo y el pecorino y triture hasta conseguir una pasta suave. Pásela a un cuenco, añada la nuez moscada y salpimiéntela al gusto.

>**4** Pase el relleno a una manga pastelera con una boquilla de 1 cm y rellene con cuidado los tubos de canelón. Vaya colocando los canelones rellenos en la fuente.

79

>5 Para la salsa de queso, derrita la mantequilla en un cazo. Añada la harina y dórela a fuego lento, removiendo sin parar durante 1 minuto.

>6 Aparte el cazo del fuego y vaya incorporando la leche poco a poco sin dejar de remover. Devuélvalo al fuego y lleve la salsa a ebullición removiendo sin parar. Deje que cueza a fuego lento 10 minutos, removiendo constantemente, hasta que esté espesa y suave.

>7 Retírela del fuego, añádale el gruyer mientras remueve y salpimiéntela al gusto.

>8 Vierta la salsa de queso sobre los canelones rellenos. Cubra la fuente con papel de aluminio y métala entre 20 y 25 minutos en el horno precalentado.

Sirva enseguida.

polenta gratinada con semillas de hinojo

para 4 personas

ingredientes

1 litro de agua
200 g de polenta instantánea
25 g de mantequilla (manteca)

1 cucharada de semillas de hinojo
2 cucharadas de perejil fresco picado fino

aceite de oliva, para engrasar
sal y pimienta

>1 Vierta el agua en una cacerola, añada sal al gusto y llévela a ebullición. Incorpore la polenta mientras remueve.

>2 Remuévala a fuego medio 5 minutos o hasta que la polenta espese y se separe de las paredes de la cacerola.

>3 Apártela del fuego y mézclela con la mantequilla, las semillas de hinojo y el perejil. Añádale pimienta al gusto.

>4 Engrase con aceite una fuente rectangular para horno. Disponga la mezcla de polenta en la fuente preparada, allane la superficie y déjela reposar.

>5 Una vez fría, dé la vuelta a la polenta y córtela en porciones.

>6 Precaliente el grill del horno a temperatura máxima. Pinte las porciones de polenta con aceite y tuéstelas bajo el grill hasta que estén doradas y crujientes.

Sírvalas enseguida. Esta polenta es un excelente acompañamiento para salchichas italianas a la parrilla o para platos de pescado.

risotto con guisantes y gorgonzola

para 4 personas

ingredientes

2 cucharadas de aceite
  de oliva
25 g de mantequilla (manteca)
1 cebolla picada fina
1 diente de ajo picado fino
350 g de arroz para risotto
150 ml de vino blanco seco
1,25 litros de caldo de verduras
350 g de guisantes (arvejas)
  congelados
150 g de gorgonzola
  desmigajado
2 cucharadas de menta fresca
  picada
sal y pimienta

1 Caliente el aceite y la mantequilla en una cacerola. Añada la cebolla y sofríala, removiéndola 3 o 4 minutos, hasta que esté tierna.

>2 Incorpore el ajo y el arroz, y remueva para impregnarlos de mantequilla y aceite. Rehogue removiendo sin parar 2 o 3 minutos o hasta que los granos estén transparentes. Añada el vino y remueva constantemente durante 1 minuto hasta que se reduzca.

Sirva el risotto enseguida.

>3 Caliente el caldo y añádalo poco a poco con un cucharón. Remueva durante 15 minutos, después incorpore los guisantes y rehogue 5 minutos más, hasta que el arroz absorba el líquido y quede cremoso.

>4 Retírelo del fuego. Incorpore el gorgonzola y la menta mientras remueve y salpimiéntelo al gusto.

ravioli con cangrejo y ricota

para 4 personas

ingredientes

300 g de harina para pasta
tipo 00 o de harina de fuerza
(harina 0000)
1 cucharadita de sal

3 huevos batidos
70 g de mantequilla (manteca)
derretida

para el relleno
175 g de carne blanca
de cangrejo
175 g de ricota
ralladura fina de 1 limón

una pizca de guindilla (chile)
seca picada
2 cucharadas de perejil fresco
picado
sal y pimienta

>1 Forme una montaña con la harina y la sal sobre una tabla o superficie de trabajo, haga un hueco en el centro y añada los huevos.

>2 Mezcle con un tenedor para incorporar poco a poco la harina en el líquido y formar la masa.

>3 Amásela 5 minutos, hasta que la masa esté suave. Envuélvala en film transparente y déjela reposar 20 minutos.

>4 Para el relleno, mezcle el cangrejo, la ricota, la ralladura de limón, la guindilla y el perejil. Salpimiéntelo al gusto.

>5
Estire la masa con la máquina para pasta o a mano hasta lograr un grosor de unos 3 mm y córtela en 32 cuadrados de 6 cm.

>6
Ponga una cucharada de relleno en el centro de la mitad de los cuadrados.

>7
Pinte los bordes con agua y coloque encima los cuadrados restantes, apretándolos para sellarlos.

>8
Ponga a hervir agua con un poco de sal en una cacerola. Añada los ravioli y hiérvalos 3 minutos, hasta que estén tiernos pero firmes. Escúrralos bien.

Aderece los ravioli con la mantequilla
fundida y pimienta, y sírvalos enseguida.

pizza de queso y tomate

para 2 personas

ingredientes
pará la masa de pizza
225 g de harina, y un poco más para enharinar

1 cucharadita de sal

1 cucharadita de levadura seca en polvo

1 cucharada de aceite de oliva, y un poco más para engrasar

6 cucharadas de agua tibia

para la cobertura
6 tomates en rodajas finas

175 g de mozzarella escurrida y en rodajas finas

2 cucharadas de albahaca fresca troceada

2 cucharadas de aceite de oliva

sal y pimienta

>1 Para preparar la masa de pizza, mezcle la harina y la sal con la levadura en un cuenco. Haga un hueco en medio y vierta dentro el aceite y el agua.

>2 Con las manos enharinadas, incorpore poco a poco los ingredientes secos al líquido. Coloque la masa en una superficie ligeramente enharinada y amásela 5 minutos, hasta que esté suave y elástica.

>3 Ponga la masa en un cuenco limpio, cúbrala con film ligeramente engrasado y déjela 1 hora en lugar templado hasta que doble su tamaño.

>4 Precaliente el horno a 230 °C. Engrase un poco una bandeja de horno.

>5 Coloque la masa sobre una superficie ligeramente enharinada y golpéela. Amásela un poco y después forme un círculo de unos 5 mm de grosor.

>6 Coloque la base de la pizza en la bandeja de horno y levante el extremo con los dedos para formar un bordecillo.

>7 Disponga las rodajas de tomate y mozzarella sobre la base de la pizza.

>8 Salpiméntela al gusto, espolvoréela con la albahaca y rocíela con el aceite. Métala en el horno precalentado de 20 a 25 minutos, hasta que esté dorada.

Córtela en porciones y sírvala enseguida.

pappardelle con tomatitos cherry, rúcula y mozzarella

para 4 personas

ingredientes

400 g de pappardelle secos
2 cucharadas de aceite
  de oliva
1 diente de ajo picado
350 g de tomatitos cherry
  cortados por la mitad
85 g de hojas de rúcula
300 g de mozzarella troceada
sal y pimienta
parmesano rallado,
  para decorar

>1 Ponga a hervir agua con un poco de sal en una cacerola. Añada la pasta y hiérvala entre 8 y 10 minutos, hasta que esté tierna pero firme.

>2 Mientras, caliente el aceite en una sartén a fuego medio y sofría el ajo durante 1 minuto removiéndolo, sin dejar que se dore.

Sirva la pasta en platos hondos
espolvoreada con parmesano.

>3 Añada los tomates, salpimiéntelos al
gusto y sofríalos a fuego lento durante
2 o 3 minutos, hasta que se ablanden.

>4 Escurra la pasta y rehóguela en la sartén.
Añádale las hojas de rúcula y la mozzarella,
y remueva hasta que las hojas estén tiernas.

albóndigas de risotto rellenas

para 3-4 personas

ingredientes

1 cucharada de aceite
  de oliva
40 g de mantequilla (manteca)
1 cebolla pequeña picada
  fina

450 g de arroz para risotto
2 litros de caldo de verduras
  caliente
50 g de parmesano rallado
125 g de mozzarella escurrida
  y en dados

1 huevo batido
125 g de pan recién rallado
aceite para freír
sal y pimienta

> **1** Caliente el aceite con 25 g de mantequilla en una olla. Añada la cebolla y sofríala 5 minutos removiéndola hasta que esté tierna.

> **2** Incorpore el arroz y remueva para impregnarlo del aceite y la mantequilla. Rehogue removiendo sin parar 2 o 3 minutos o hasta que los granos estén transparentes.

> **3** Añada poco a poco el caldo caliente con un cucharón. Vaya añadiendo líquido a medida que el arroz absorba el que ya tiene. Remuévalo durante 20 minutos o hasta que el arroz absorba todo el líquido y esté cremoso.

> **4** Retire el arroz del fuego y añada el resto de la mantequilla. Remueva bien e incorpore el parmesano hasta que se derrita. Salpimiéntelo al gusto y déjelo enfriar del todo.

>5 Póngase una cucharada de risotto en la palma de la mano. Coloque encima un dado de mozzarella y cúbralo con otra cucharada de risotto. Presiónelo todo para formar una bola, asegurándose de cubrir el relleno. Repita hasta acabar todo el risotto y toda la mozzarella.

>6 Enfríe las bolas de risotto en el frigorífico 10 minutos y páselas por el huevo. Escúrralas y rebócelas en el pan rallado, sacudiendo el exceso. Enfríelas 10 minutos más.

>7 Caliente aceite para freír en una cazuela grande o en la freidora a 180 o 190 °C, o hasta que un trozo de pan se dore en 30 segundos. Deposite con cuidado y por turnos las bolas de risotto en la sartén y fríalas 5 minutos o hasta que estén doradas.

>8 Saque las bolas de risotto del aceite con una espumadera y colóquelas sobre papel de cocina.

Déjelas enfriar un poco
antes de servirlas.

> **5** Mézclelo todo despacio y después coloque la masa sobre una superficie ligeramente enharinada. Amase con cuidado para formar una masa suave. Si está demasiado pegajosa, añádale harina.

> **6** Forme un cilindro alargado con la masa. Córtelo en trozos de 2,5 cm y presiónelos suavemente con un tenedor para darles la forma estriada que caracteriza los gnocchi.

> **7** Páselos a una bandeja enharinada y cúbralos con un paño limpio hasta que los vaya a cocer.

> **8** Deposite los gnocchi en tandas en una cacerola con agua hirviendo y cuézalos 1 o 2 minutos. Sáquelos con una espumadera y colóquelos en una fuente templada.

Sírvalos enseguida con el pesto
por encima.

linguine con anchoas, aceitunas y alcaparras

para 4 personas

ingredientes
3 cucharadas de aceite
  de oliva
2 dientes de ajo picados finos
10 filetes de anchoa escurridos
  y picados
150 g de aceitunas negras
  deshuesadas (descarozadas)
  y picadas
1 cucharada de alcaparras
450 g de tomates pelados
  y picados
pimienta de Cayena al gusto
400 g de linguine secos
2 cucharadas de perejil fresco
  picado, para decorar

> **>1** Caliente el aceite en una sartén grande. Añada el ajo y sofríalo 2 minutos a fuego lento, removiendo con frecuencia. Incorpore las anchoas y cháfelas con un tenedor.

> **>2** Añada las aceitunas, las alcaparras y los tomates, y aderece al gusto con pimienta de Cayena. Tápelo y déjelo cocer 25 minutos.

Decórela con el perejil y
sírvala enseguida.

>3 Mientras, ponga a hervir agua con
un poco de sal en una cacerola. Añada
la pasta y hiérvala entre 8 y 10 minutos,
hasta que esté tierna pero firme.

>4 Escurra la pasta y pásela a una fuente
templada. Vierta la salsa de anchoas en la
fuente y remueva la pasta con 2 tenedores
grandes.

risotto de marisco

para 4 personas

ingredientes

150 ml de vino blanco seco

4 calamares pequeños, limpios y cortados en aros

250 g de langostinos crudos, pelados y desvenados

250 g de mejillones frescos con las valvas limpias

2 cucharadas de aceite de oliva

50 g de mantequilla (manteca)

1 cebolla picada fina

2 dientes de ajo picados finos

2 hojas de laurel

350 g de arroz para risotto

1,5 litros de caldo de pescado caliente

sal y pimienta

perejil picado grueso, para decorar

>1 Caliente el vino en una cacerola hasta que hierva, añada los calamares y los langostinos y déjelos cocer 2 minutos. Saque los calamares y los langostinos con una espumadera y resérvelos.

>2 Retire los mejillones con las valvas rotas y los que no se cierren al darles un golpecito. Incorpore los mejillones a la cacerola, tápela y déjelos cocer 2 o 3 minutos, hasta que se abran. Deseche aquellos que sigan cerrados. Escurra los mejillones, reservando el caldo, y sáquelos de sus valvas.

>3 Caliente el aceite y la mantequilla en una cacerola. Añada la cebolla y sofríala, removiendo 3 o 4 minutos hasta que se ablande.

>4 Incorpore el ajo, el laurel y el arroz, y remueva para impregnarlos de la mantequilla y el aceite. Rehóguelo todo removiendo sin parar 2 o 3 minutos o hasta que los granos estén transparentes.

>5 Añada el caldo de cocción de los mejillones y vaya incorporando poco a poco el caldo caliente con un cucharón. Remueva durante 15 minutos o hasta que el arroz absorba todo el líquido y esté cremoso.

>6 Agregue el marisco cocido, tápelo y deje cocer otros 2 minutos para calentarlo. Salpimiéntelo al gusto.

Sirva el risotto enseguida con el perejil
esparcido por encima.

calzoni de tomate y mozzarella

para 4 personas

ingredientes
el doble de las cantidades para
   masa de pizza
   (véase pág. 92)
harina, para enharinar

para el relleno
2 cucharadas de aceite de oliva,
   y un poco más para engrasar
1 cebolla roja cortada fina
1 diente de ajo picado fino
400 g de tomate triturado en conserva
50 g de aceitunas negras sin hueso
200 g de mozzarella escurrida
   y en dados
1 cucharada de orégano fresco

>**1** Precaliente el horno a 200 °C. Caliente el aceite en una sartén. Añada la cebolla y el ajo, y sofríalos 5 minutos, hasta que estén tiernos. Incorpore el tomate y cuézalo todo 5 minutos más. Agregue las aceitunas.

>**2** Divida la masa en 4 trozos. Extiéndalos sobre una superficie ligeramente enharinada hasta obtener círculos de 20 cm de diámetro.

Déjelos reposar 2 minutos
antes de servir.

>3 Reparta la mezcla de tomate sobre las bases, extendiéndola desde la mitad hasta casi el borde. Reparta por encima la mozzarella y el orégano, y pinte los bordes con un poco de agua. Doble los calzoni por la mitad y presione los bordes para sellarlos.

>4 Engrase ligeramente dos bandejas de horno. Disponga los calzoni en las bandejas y métalos en el horno precalentado unos 15 minutos, hasta que estén dorados y crujientes.

segundos platos

>4

>5

>6

ternera con jamón y salvia

para 4 personas

ingredientes

4 filetes de ternera

2 cucharadas de zumo (jugo) de limón

1 cucharada de hojas de salvia fresca picadas

4 lonchas (fetas) de jamón curado

50 g de mantequilla (manteca)

3 cucharadas de vino blanco seco

sal y pimienta

>1 Disponga los filetes de ternera entre 2 trozos de film transparente y golpéelos con un rodillo hasta que queden muy finos.

>2 Páselos a un plato y rocíelos con zumo de limón. Resérvelos 30 minutos, regándolos con el zumo de limón de vez en cuando.

>3 Seque los filetes con papel de cocina, salpiméntelos al gusto y frótelos con la mitad de la salvia. Coloque una loncha de jamón sobre cada filete y fíjela con un palillo.

>4 Derrita la mantequilla en una sartén grande. Añada el resto de la salvia y rehóguela a fuego lento 1 minuto, removiendo sin parar.

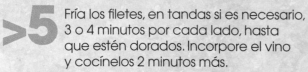

>5 Fría los filetes, en tandas si es necesario, 3 o 4 minutos por cada lado, hasta que estén dorados. Incorpore el vino y cocínelos 2 minutos más.

>6 Disponga los filetes en una fuente templada y rocíelos con el jugo de la sartén. Retire los palillos y deséchelos.

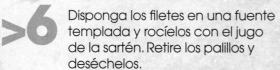

Sirva enseguida.

brochetas de rape
con mayonesa de albahaca

para 2-4 personas

ingredientes
1 diente de ajo majado
ralladura fina y zumo (jugo)
 de 1 limón
2 cucharadas de aceite
 de oliva

500 g de filetes de rape
 cortados en trozos de 3 cm
2 cebollas rojas cortadas
 en cuñas finas
sal y pimienta

**para la mayonesa de
albahaca**
2 yemas de huevo
1 cucharada de zumo (jugo)
 de limón
1 cucharadita de mostaza
 de Dijon

150 ml de aceite de girasol
150 ml de aceite de oliva
 virgen extra
50 g de hojas de albahaca
 fresca picadas

1 Mezcle el ajo, la ralladura y el zumo de limón y el aceite de oliva, y salpimiente al gusto. Añada el pescado, tápelo y déjelo marinar 30 minutos en el frigorífico.

>2 Para la mayonesa de albahaca, bata las yemas de huevo, el zumo de limón y la mostaza hasta conseguir una textura homogénea.

 3 Vaya incorporando poco a poco el aceite de girasol hasta que la mezcla se espese.

>4 Incorpore el aceite de oliva virgen extra con un chorrito continuo para formar una salsa espesa y cremosa. Añada la albahaca y rectifique el aliño añadiendo sal y pimienta si es necesario.

>5 Precaliente el grill del horno a la temperatura máxima. Escurra el rape y reserve la marinada. Ensarte trozos de rape y de cebolla alternados en 4 brochetas de metal o de madera previamente remojadas.

>6 Cocine las brochetas bajo el grill entre 6 y 8 minutos, dándoles la vuelta de vez en cuando y regándolas con la marinada, hasta que se doren.

Sirva las brochetas calientes
con la mayonesa de albahaca.

filetes a la plancha con tomate y ajo

para 4 personas

ingredientes
3 cucharadas de aceite de
  oliva, y un poco más para
  engrasar
700 g de tomates picados
1 pimiento (morrón) rojo sin
  semillas y picado
1 cebolla roja picada
2 dientes de ajo picados finos
1 cucharada de perejil
  fresco picado
1 cucharadita de orégano
1 cucharadita de azúcar
4 filetes de cadera (nalga) de
  unos 175 g cada uno
sal y pimienta

>1 Ponga el aceite, los tomates, los pimientos
rojos, la cebolla, el ajo, el perejil, el orégano
y el azúcar en una cacerola y salpimiente
al gusto. Llévelos a ebullición, reduzca el
fuego y déjelos cocer 15 minutos.

>2 Mientras, elimine la grasa del borde
de los filetes. Sazónelos generosamente
con pimienta y píntelos con aceite.

Pase los filetes a platos templados y
sírvalos con la salsa de tomate y ajo.

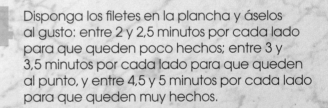

>3 Encienda la plancha y espere hasta que
esté bien caliente.

>4 Disponga los filetes en la plancha y áselos
al gusto: entre 2 y 2,5 minutos por cada lado
para que queden poco hechos; entre 3 y
3,5 minutos por cada lado para que queden
al punto, y entre 4,5 y 5 minutos por cada lado
para que queden muy hechos.

berenjenas asadas con mozzarella y parmesano

para 6-8 personas

ingredientes

3 berenjenas en rodajas finas

aceite de oliva, para engrasar

300 g de mozzarella escurrida y en rodajas

125 g de parmesano rallado

3 cucharadas de pan rallado blanco

15 g de mantequilla (manteca)

para la salsa de tomate y albahaca

2 cucharadas de aceite de oliva

4 chalotas (echalotes) picadas

2 dientes de ajo picados finos

400 g de tomates pera en conserva

1 cucharadita de azúcar

8 hojas de albahaca fresca troceadas

sal y pimienta

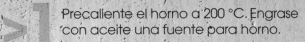>1 Precaliente el horno a 200 °C. Engrase con aceite una fuente para horno.

>2 Disponga las rodajas de berenjena en dos bandejas de horno grandes en una sola capa. Píntelas con aceite y áselas en el horno 15 o 20 minutos, hasta que estén tiernas.

>3 Mientras, prepare la salsa. Caliente el aceite en una cacerola y sofría las chalotas 5 minutos, hasta que estén tiernas. Añada el ajo y sofría 1 minuto más.

>4 Incorpore los tomates y deshágalos con una cuchara de madera. Agregue el azúcar y salpimiente al gusto. Lleve la salsa a ebullición, reduzca el fuego y déjela cocer 10 minutos, hasta que espese. Añada la albahaca.

>5 Disponga la mitad de las rodajas de berenjena en el fondo de la fuente. Cúbralas con la mitad de la mozzarella, vierta encima la mitad de la salsa y espolvoree con el parmesano.

>6 Mezcle el resto del parmesano con el pan rallado. Repita las capas y termine con la mezcla de parmesano. Reparta la mantequilla por encima y hornee 25 minutos, hasta que la parte superior se dore.

Deje reposar las berenjenas 5 minutos
antes de servir.

pechugas de pollo con costra de parmesano

para 4 personas

ingredientes

4 pechugas de pollo sin piel
  ni huesos
5 cucharadas de salsa pesto

40 g de pan de chapata
  (ciabatta) rallado
25 g de parmesano rallado
ralladura fina de medio
  limón

2 cucharadas de aceite
  de oliva
sal y pimienta
tomates en rama asados,
  para decorar

>1 Precaliente el horno a 220 °C. Haga un corte profundo en cada pechuga a modo de bolsillo.

>2 Abra las pechugas de pollo y disponga una cucharada de pesto en cada bolsillo.

>3 Cierre las pechugas ya rellenas y colóquelas en una fuente para horno.

>4 Mezcle el pesto sobrante con el pan rallado, el parmesano y la ralladura de limón.

>5 Reparta la mezcla de pan rallado sobre las pechugas. Salpiméntelas al gusto y riéguelas con el aceite.

>6 Áselas en el horno precalentado unos 20 minutos, o hasta que al pinchar la parte más gruesa de la carne el jugo que desprenda sea claro.

Sirva el pollo caliente con tomates
en rama asados.

lubina con hinojo, aceitunas y tomillo

para 4 personas

ingredientes
4 lubinas limpias de unos
  300 g cada una
2 bulbos de hinojo
12 aceitunas verdes sin hueso
zumo (jugo) y ralladura fina
  de 1 limón
3 cucharadas de aceite
  de oliva
175 ml de vino blanco seco
3 cucharadas de hojas
  de tomillo fresco picadas
sal y pimienta

>1 Precaliente el horno a 200 °C. Haga tres cortes profundos en un lado de las lubinas y colóquelas en una fuente para horno.

>2 Recorte los bulbos de hinojo y reserve las hojas verdes. Corte los bulbos en rodajas de unos 5 mm de grosor y escáldelas 1 minuto en agua hirviendo. Escúrralas y dispóngalas alrededor del pescado junto con las aceitunas.

Páselo todo a una fuente y decórelo con las hojas de hinojo reservadas.

>3 Mezcle poco a poco el zumo y la ralladura de limón, el aceite, el vino y el tomillo, y salpimiente al gusto.

>4 Vierta la marinada sobre el pescado y el hinojo, y hornee entre 30 y 35 minutos, hasta que el pescado se separe fácilmente de las espinas.

hortalizas rebozadas con salsa balsámica

para 4 personas

ingredientes

unos 900 g de hortalizas
  variadas, como hinojo,
  calabacines (zapallitos),
  brócoli, coliflor, cebollas
  y zanahorias

175 g de harina
2 huevos batidos
125 ml de cerveza
aceite de oliva o vegetal,
  para freír
sal y pimienta

para la salsa

6 cucharadas de vinagre
  balsámico
1 cucharadita de mostaza
  suave
1 cucharadita de miel clara

>1 Prepare las hortalizas y córtelas en trozos de igual tamaño.

>2 Vierta la harina en un cuenco y salpiméntela al gusto. Hágale un hueco en el centro e incorpore los huevos y la cerveza.

>3 Mézclelo todo y remuévalo bien para conseguir un rebozado suave y esponjoso.

 >4 Caliente aceite para freír en una sartén grande o en la freidora a 180 o 190 °C, o hasta que un trozo de pan se dore en 30 segundos. Bañe las hortalizas en el rebozado hasta cubrirlas y fríalas por tandas hasta que estén doradas.

Sirva las hortalizas calientes
acompañadas de la salsa.

estofado de pato con beicon, romero y aceitunas

para 4 personas

ingredientes

2 cucharadas de aceite de oliva

1,75 kg de pato listo para asar, cortado en 8 trozos

150 g de beicon (panceta) en taquitos

1 cebolla grande troceada

1 tallo de apio en dados

1 zanahoria en dados

1 diente de ajo majado

175 ml de vino tinto

400 ml de passata de tomate

1 guindilla (chile) roja fresca, picada fina

3 ramitas de romero fresco

12 aceitunas negras

sal y pimienta

perejil picado, para decorar

 Caliente el aceite en una cazuela grande y dore los trozos de pato en tandas. Retírelos y resérvelos.

>2 Retire todo el aceite menos una cucharada y dore el beicon sin dejar de remover.

>3 Añada la cebolla, el apio, la zanahoria y el ajo, y sofría, sin dejar de remover, 3 o 4 minutos.

>4 Incorpore el vino y déjelo cocer 1 minuto. Después añada la passata, la guindilla, el romero y las aceitunas, y salpimiente al gusto.

145

Vuelva a poner el pato en la cazuela y recúbralo con la salsa.

>**6** Tápelo y déjelo cocer suavemente alrededor de 1 hora o hasta que el pato esté tierno.

Sírvalo decorado con perejil.

estofado de cerdo con alubias pintas

para 4 personas

ingredientes
250 g de alubias (porotos)
  pintas en remojo desde la
  noche anterior
800 g de aguja de cerdo
1 cebolla grande troceada
2 tallos de apio troceados
1 zanahoria grande troceada
1 guindilla (chile) roja fresca,
  picada fina
2 dientes de ajo picados finos
brotes grandes de romero,
  tomillo y laurel frescos
unos 600 ml de caldo de pollo
sal y pimienta
pan crujiente, para acompañar

> **1** Precaliente el horno a 160 °C. Escurra las alubias y cuézalas 10 minutos en una cazuela con agua hirviendo. Escúrralas y póngalas en una fuente honda para horno.

> **2** Corte la carne en trozos pequeños sin quitarle la piel.

Sirva el estofado con trozos de
pan para mojar en la salsa.

> **3** Disponga la carne y las hortalizas en
capas sobre las alubias, aderece cada
capa con guindilla y ajo, y salpimiente
al gusto. Añada también las hierbas.

> **4** Cúbralo todo con el caldo, tápelo y cuézalo
3 horas en el horno precalentado sin remover,
hasta que tanto la carne como las hortalizas
estén tiernas.

cazuela rústica de pescado

para 4 personas

ingredientes

300 g de almejas frescas y
  limpias
2 cucharadas de aceite
  de oliva

1 cebolla grande troceada
2 dientes de ajo majados
2 tallos de apio troceados
350 g de filetes de pescado
  blanco

250 g de anillas de calamar
  limpias
400 ml de caldo de pescado
6 tomates pera troceados
1 ramillete de tomillo fresco

sal y pimienta
pan crujiente, para
  acompañar

>**1**
Limpie las almejas frotando las valvas bajo
un chorro de agua fría. Deseche las
que tengan las valvas rotas y las que no se
cierren al darles un golpecito.

>**2**
Caliente el aceite en una cazuela y sofría
la cebolla, el ajo y el apio 3 o 4 minutos,
hasta que estén tiernos pero no dorados.

>**3**
Mientras, trocee el pescado.

>**4**
Incorpore el pescado y los calamares
a la cazuela y sofríalos 2 minutos.

>5 Añada el caldo, el tomates y el tomillo, y salpimiente al gusto. Tápelo y déjelo cocer a fuego lento 3 o 4 minutos.

>6 Añada las almejas, tápelo y déjelo cocer a fuego fuerte 2 minutos más, o hasta que se abran. Deseche aquellas que sigan cerradas.

Sirva la cazuela enseguida
con trozos de pan.

lentejas con alcachofas al estilo de umbría

para 4 personas

ingredientes

220 g de lentejas de Puy

2 cucharadas de aceite de oliva

2 tallos de apio troceados

2 puerros en rodajas

1 diente de ajo majado

50 g de tomates secos troceados

2 cucharadas de salvia fresca picada

1 cucharada de romero fresco picado

500 ml de caldo de jamón o de verduras

280 g de corazones de alcachofa (alcaucil) en conserva escurridos

sal y pimienta

> **1** Ponga las lentejas en una cacerola y cúbralas con agua hirviendo. Llévelas a ebullición y déjelas hervir 10 minutos. Escúrralas y resérvelas.

> **2** Caliente el aceite en una cacerola y sofría el apio y los puerros 2 o 3 minutos, hasta que estén tiernos pero no dorados.

> **3** Incorpore el ajo, el tomate seco, la salvia y el romero.

> **4** Añada las lentejas cocidas y el caldo, y salpiméntelo al gusto. Después llévelos a ebullición.

>5 Baje el fuego, tape la cacerola y deje cocer entre 25 y 30 minutos o hasta que las lentejas estén tiernas.

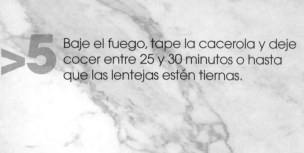

>6 Incorpore las alcachofas y déjelas cocer a fuego lento 2 o 3 minutos.

Sirva enseguida.

atún a la plancha con limón, alcaparras y tomillo

para 4 personas

ingredientes

4 filetes de atún
de unos 175 g cada uno
4 cucharadas de aceite
de oliva
ralladura fina y zumo (jugo)
de 1 limón
3 cucharadas de alcaparras
enjuagadas
2 cucharadas de tomillo fresco
picado
sal y pimienta
limón en cuñas, para decorar

> **1** Pinte los filetes de atún con una cucharada de aceite y salpimiéntelos al gusto.

> **2** Ponga el resto del aceite, la ralladura y el zumo de limón, las alcaparras y el tomillo en un cazo a fuego lento.

Sirva el atún caliente con los gajos
de limón para aliñar si se desea.

> **>3** Caliente una sartén grill y ase el atún 2 o
3 minutos por cada lado, por tandas si es
necesario.

> **>4** Lleve a ebullición la mezcla de limón y
alcaparras, y rocíe el atún con ella.

cordero asado
con romero y marsala

para 6 personas

ingredientes

1 pierna de cordero de 1,75 kg

2 dientes de ajo fileteados

2 cucharadas de hojas de romero

8 cucharadas de aceite de oliva

900 g de patatas (papas) cortadas en dados de 2,5 cm

6 hojas de salvia fresca picadas

150 ml de vino marsala

sal y pimienta

>1 Precaliente el horno a 220 °C. Con un cuchillo pequeño, haga incisiones en el cordero e introduzca en ellas el ajo y la mitad del romero.

>2 Disponga el cordero en una fuente para horno y rocíelo con la mitad del aceite. Áselo durante 15 minutos en el horno precalentado.

>3 Baje la temperatura del horno a 180 °C. Saque el cordero del horno y salpimiéntelo al gusto. Dé la vuelta al cordero, vuelva a meterlo en el horno y áselo 1 hora más.

>4 Coloque las patatas en una fuente para horno distinta, añada el resto del aceite y remuévalas para que se impregnen bien. Espolvoréelas con el resto del romero y la salvia. Meta las patatas en el horno con el cordero y áselas 40 minutos.

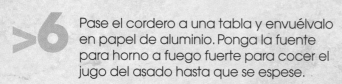

>5 Saque el cordero del horno, dele la vuelta y riéguelo con el marsala. Vuelva a meterlo en el horno con las patatas y déjelo 15 minutos más.

>6 Pase el cordero a una tabla y envuélvalo en papel de aluminio. Ponga la fuente para horno a fuego fuerte para cocer el jugo del asado hasta que se espese.

Corte el cordero en tajadas
y sírvalo con las patatas regado
con su propio jugo.

163

popurrí templado de verduras

para 4 personas

ingredientes

4 cucharadas de aceite
  de oliva
2 tallos de apio troceados
2 cebollas rojas en cuñas

450 g de berenjenas en dados
1 diente de ajo picado fino
5 tomates pera troceados
3 cucharadas de vinagre
  de vino

1 cucharada de azúcar
3 cucharadas de aceitunas
  verdes sin hueso
2 cucharadas de alcaparras
  escurridas

sal y pimienta
4 cucharadas de perejil fresco
  picado, para decorar
pan de chapata (ciabatta),
  para acompañar

> **1** Caliente la mitad del aceite en una cacerola grande. Añádale el apio y las cebollas y sofríalos a fuego lento 5 minutos, removiendo de vez en cuando, hasta que estén tiernos pero no dorados.

> **2** Añada el resto del aceite y las berenjenas. Sofríalos 5 minutos removiendo con frecuencia, hasta que las berenjenas empiecen a tomar color.

> **3** Incorpore el ajo, el tomate, el vinagre y el azúcar, y mézclelos bien.

> **4** Cubra la mezcla con papel encerado y déjela hervir a fuego lento unos 10 minutos.

> **>5** Retire y deseche el papel encerado, y
> añada las aceitunas y las alcaparras.
> Salpimiente al gusto.

> **>6** Disponga la mezcla en una fuente
> y deje que se enfríe un poco.

Decore el popurrí con el perejil
y sírvalo con pan de chapata.

carne estofada al vino tinto

para 4-6 personas

ingredientes

2 cucharadas de aceite
de oliva
1 kg de carne de cadera
(nalga) o tapa de vacuno
en una pieza
1 cebolla grande cortada
2 zanahorias troceadas
2 tallos de apio troceados
2 hojas de laurel
1 rama de canela
400 ml de vino tinto
400 ml de caldo de carne
sal y pimienta

>1 Caliente el aceite en una cacerola y
cocine la carne hasta que se dore por
los lados. Retire la carne de la cacerola
y déjela reposar.

>2 Añada a la cacerola la cebolla, la
zanahoria y el apio, y coloque la carne
encima. Incorpore el laurel, la canela
en rama, el vino y el caldo, y salpimiente
al gusto.

Corte la carne en tajadas y sírvala cubierta con su propio jugo.

>3 Llévelo todo a ebullición y déjelo hervir a fuego lento, volteando la carne de vez en cuando, 2 horas o hasta que esté tierna.

>4 Saque la carne y manténgala caliente. Cuele el jugo, vuelva a ponerlo en la cacerola y deje reducir a la mitad a fuego fuerte.

postres y repostería

>4

>5

>6

tiramisú

para 6 personas

ingredientes

4 yemas de huevo
100 g de azúcar extrafino
1 cucharadita de extracto
 de vainilla

500 g de mascarpone
2 claras de huevo
175 ml de café negro fuerte
125 ml de ron o brandy

24 bizcochos de soletilla
 (vainillas)
2 cucharadas de cacao
 en polvo

2 cucharadas de chocolate
rallado fino

1 Mezcle las yemas de huevo con el azúcar y el extracto de vainilla en un cuenco resistente al calor, al baño María.

 **2** Cuando la mezcla se haya aclarado y las varillas dejen huella al levantarlas, retire el cuenco del calor y déjelo enfriar. Remueva la mezcla de vez en cuando para evitar que se forme una película en la superficie.

3 Cuando la mezcla de yema de huevo se enfríe, incorpore el mascarpone y mézclelo bien.

4 Bata las claras a punto de nieve en un cuenco limpio e incorpórelas poco a poco a la mezcla de mascarpone.

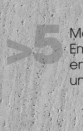

5

Mezcle el café y el ron en un plato hondo. Empape ligeramente 8 de los bizcochos en la mezcla y colóquelos en la base de una fuente.

6

Vierta un tercio de la mezcla de mascarpone por encima y alise la superficie. Forme dos capas iguales más y termine con la mezcla de mascarpone. Ponga el tiramisú en el frigorífico al menos durante 1 hora.

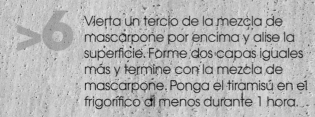

Antes de servirlo, espolvoree por encima el cacao y el chocolate.

tarta de ricota con chocolate y nueces

para 6 personas

ingredientes

115 g de azúcar extrafino

125 g de mantequilla
(manteca) sin sal
reblandecida

2 yemas de huevo

ralladura fina de 1 limón

250 g de harina

para el relleno

125 g de chocolate troceado

250 g de ricota

40 g de azúcar glas (glacé),
y un poco más para
espolvorear

2 cucharadas de ron oscuro

1 cucharadita de extracto
de vainilla

100 g de nueces picadas

>1 Precaliente el horno a 180 °C. Mezcle en un cuenco el azúcar extrafino, la mantequilla, las yemas y la ralladura de limón, y bátalos bien.

>2 Incorpore la harina y mézclela con las manos hasta conseguir una masa suave.

>3 Envuelva la masa en film transparente y déjela reposar a temperatura ambiente durante 10 minutos.

>4 Derrita el chocolate al baño María en un cuenco resistente al calor.

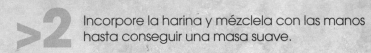

177

> **5** Mezcle la ricota, el azúcar glas, el ron, el extracto de vainilla y las nueces. Incorpórelos al chocolate derretido y mezcle bien.

> **6** Estire dos tercios de la masa y presiónela bien contra la base y las paredes de un molde desmontable de 23 cm de diámetro.

> **7** Disponga la mezcla de ricota sobre la base de masa y alise la superficie.

> **8** Extienda la masa restante, córtela en tiras y dispóngala sobre la tarta formando un entramado. Coloque la tarta en una bandeja de horno y cocínela 35 o 40 minutos, hasta que esté cocida y dorada.

Sirva la tarta caliente, espolvoreada
con azúcar glas.

melocotones rellenos con amaretto

para 4 personas

ingredientes
50 g de mantequilla (manteca)
   sin sal
4 melocotones (duraznos)
2 cucharadas de azúcar
   moreno
50 g de galletas amaretti
   picadas
2 cucharadas de amaretto
125 ml de nata (crema) líquida,
   para acompañar

>1 Precaliente el horno a 180 °C.
Engrase con 15 g de mantequilla
una fuente para horno con cabida
para 8 mitades de melocotón en
una capa.

>2 Corte los melocotones por la mitad
y retire los huesos.

Rocíelos por encima con el amaretto y sírvalos calientes acompañados de la nata.

>3 Bata el resto de la mantequilla con el azúcar en un cuenco hasta conseguir una textura cremosa. Añada los trocitos de galleta y mezcle bien.

>4 Disponga en la fuente para horno las mitades de melocotón con el corte hacia arriba y rellene sus huecos con la mezcla de galleta. Áselos en el horno precalentado de 20 a 25 minutos o hasta que estén tiernos.

biscotti de almendras

para unas 35 unidades

ingredientes

250 g de almendras crudas peladas

200 g de harina, y un poco más para enharinar

175 g de azúcar extrafino, y un poco más para espolvorear

1 cucharadita de levadura en polvo

½ cucharadita de canela en polvo

2 huevos

2 cucharaditas de extracto de vainilla

>**1** Precaliente el horno a 180 °C. Cubra dos bandejas de horno con papel para hornear.

>**2** Corte las almendras en trozos gruesos y reserve algunas enteras.

>**3** Mezcle la harina, el azúcar, la levadura y la canela en un cuenco. Incorpore las almendras.

>**4** Bata los huevos con el extracto de vainilla en un cuenco pequeño y después añádalos a la mezcla de harina hasta obtener una masa consistente.

>5 Coloque la masa sobre una superficie ligeramente enharinada y amásela con suavidad.

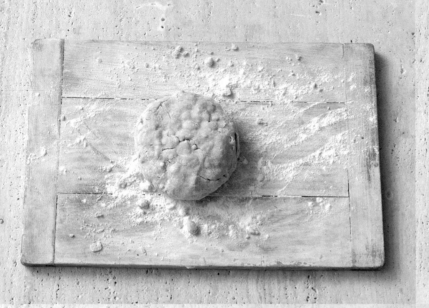

>6 Divida la masa en dos mitades y forme un cilindro de unos 5 cm de ancho con cada una. Páselos a las bandejas de horno y espolvoréelos con azúcar. Hornéelos de 20 a 25 minutos, hasta que estén cocidos.

>7 Retírelos del horno y déjelos enfriar un poco. Después páselos a una tabla y córtelos en rebanadas de 1 cm. Mientras, reduzca la temperatura del horno a 160 °C.

>8 Disponga los biscotti en las bandejas de horno. Hornéelos entre 15 y 20 minutos, hasta que estén crujientes. Colóquelos sobre una rejilla para que se enfríen.

Guárdelos en un recipiente hermético
para mantenerlos crujientes.

buñuelos con frutas confitadas al estilo veneciano

para unas 24 unidades

ingredientes

100 g de pasas sultanas
75 g de pieles de frutas
  confitadas picadas

3 cucharadas de grappa
  o ron
ralladura fina de 1 limón
400 g de harina

50 g de azúcar extrafino
10 g de levadura en polvo
1 huevo pequeño batido
unos 250 ml de leche tibia

40 g de piñones
aceite de girasol, para freír
azúcar glas (glacé), para
  espolvorear

> **1** Ponga en un cuenco las pasas, las frutas confitadas, la grappa y la ralladura de limón y déjelas 1 hora en remojo.

> **2** En un cuenco, mezcle la harina, el azúcar y la levadura con el huevo y leche suficiente para formar una crema espesa.

> **3** Añada los piñones y la mezcla de pasas al cuenco.

> **4** Tape la masa y déjela en un lugar templado unas 3 horas o hasta que esté esponjosa y haya doblado su tamaño.

>5 Caliente suficiente aceite para freír en una cazuela o en la freidora a 180 o 190 °C, o hasta que un trozo de pan se dore en 30 segundos.

>6 Eche cucharadas de la masa en el aceite y fríalas hasta que se doren. Escúrralas sobre papel de cocina.

Sirva los buñuelos calientes, espolvoreados con azúcar glas.

compota de melocotón con limoncello

para 4 personas

ingredientes

4 melocotones (duraznos)
70 g de azúcar dorado
  extrafino
1 rama de canela
3 cucharadas de agua fría
2 cucharadas de licor
  limoncello
nata (crema) montada,
  para acompañar

> **>1** Corte los melocotones por la mitad y retire los huesos.

> **>2** Coloque los melocotones en una cacerola con el azúcar, la canela y el agua, y llévelos a ebullición.

Sirva la compota templada
o fría con nata montada.

>**3** Tápelos y déjelos cocer a fuego lento,
removiendo de vez en cuando, durante
10 minutos o hasta que los melocotones
estén tiernos.

>**4** Retírelos del fuego, incorpore el
limoncello, remueva y déjelos reposar
20 minutos antes de servir.

tartaletas de higos

para 4 personas

ingredientes

250 g de masa de hojaldre
  preparada
harina, para enharinar
8 higos frescos maduros
1 cucharada de azúcar
  extrafino

½ cucharadita de canela
  en polvo
leche, para pintar
helado de vainilla, para
  acompañar

>1 Precaliente el horno a 190 °C. Extienda la masa sobre una superficie ligeramente enharinada hasta conseguir un grosor de 5 mm.

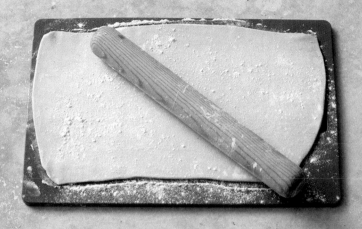

>2 Con un platito como guía, recorte cuatro círculos de 15 cm y colóquelos en una bandeja de horno.

>3 Utilice un cuchillo afilado para trazar un círculo en cada porción de masa a 1 cm del borde exterior. Pinche varias veces en el centro de los círculos con un tenedor.

>4 Corte los higos en cuartos y disponga 8 cuartos en el centro de cada círculo de masa.

193

>5 Mezcle el azúcar y la canela, y espolvoréelos sobre los higos.

>6 Pinte los bordes de las tartaletas con leche y cuézalas en el horno precalentado entre 15 y 20 minutos, hasta que suban y se doren.

Sirva las tartaletas calientes con helado.

pastel toscano de Navidad

para 14 personas

ingredientes

115 g de avellanas
115 g de almendras
85 g de pieles de frutas
   confitadas troceadas
50 g de orejones de
   albaricoque (damasco)
   troceados

50 g de piña (ananá)
   confitada picada fina
ralladura de 1 naranja
50 g de harina
2 cucharadas de cacao
   en polvo
1 cucharadita de canela en
   polvo

¼ cucharadita de cilantro
   picado
¼ cucharadita de nuez
   moscada recién molida
¼ cucharadita de clavo
   de olor molido

115 g de azúcar extrafino
175 g de miel clara
azúcar glas (glacé), para
   espolvorear

196

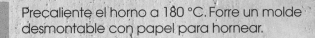

>1 Precaliente el horno a 180 °C. Forre un molde desmontable con papel para hornear.

>2 Disponga las avellanas sobre una bandeja de horno y tuéstelas durante 10 minutos, hasta que se doren. Después, páselas a un paño limpio y pélelas.

>3 Mientras, disponga las almendras sobre una bandeja de horno y tuéstelas 10 minutos, hasta que se doren. Vigílelas, pues pueden quemarse con facilidad.

>4 Baje la temperatura del horno a 150 °C. Pique todos los frutos secos y colóquelos en un cuenco grande. Añádales las pieles de frutas confitadas, los orejones, la piña y la ralladura de naranja y mezcle bien.

197

> **5** Incorpore la harina, el cacao, la canela, el cilantro, la nuez moscada y el clavo, y mezcle bien.

> **6** Vierta el azúcar y la miel en una cacerola y manténgalos a fuego lento, removiendo, hasta que se disuelva el azúcar. Lleve la mezcla a ebullición y déjela cocer 5 minutos, hasta que espese y empiece a dorarse.

> **7** Agregue la mezcla de frutos secos a la cacerola y apártela del fuego.

> **8** Vierta la mezcla en el molde para tartas y alise la superficie. Hornee 1 hora y después páselo a una rejilla para que se enfríe. Cuando esté frío, sáquelo con cuidado del molde y retire el papel.

Antes de servir el pastel, espolvoree
azúcar glas por encima y córtelo en
porciones finas.

zabaglione

para 4 personas

ingredientes
4 yemas de huevo
60 g de azúcar extrafino
5 cucharadas de vino marsala
galletas amaretti, para
  acompañar

1 Bafa las yemas y el azúcar durante
1 minuto en un cuenco resistente al calor.

2 Incorpore cuidadosamente
el marsala.

Sirva el zabaglione con galletas amaretti.

> **3** Coloque el cuenco sobre una cacerola con agua a punto de hervir y bata con fuerza de 10 a 15 minutos, hasta conseguir una mezcla espesa, cremosa y espumosa.

> **4** Viértala enseguida en copas para postre.

201

ravioli de queso con miel

para 4 personas

ingredientes

200 g de harina para pasta tipo 00 o harina convencional, y un poco más para enharinar

70 g de azúcar extrafino

2 huevos batidos

85 g de pecorino rallado grueso

4 cucharadas de aceite de oliva suave

6 cucharadas de miel de flores

canela en polvo, para espolvorear

> **1** Mezcle la harina y el azúcar en un cuenco y haga un hueco en el centro.

> **2** Añada los huevos y remueva con un tenedor para incorporarlo todo poco a poco y formar una masa.

> **3** Coloque la masa sobre una superficie ligeramente enharinada y amásela con suavidad.

> **4** Estire la masa hasta lograr un grosor de 3 mm. Utilice un molde de 8 cm de diámetro para cortar 24 círculos.

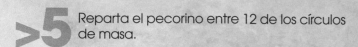

> **5** Reparta el pecorino entre 12 de los círculos de masa.

> **6** Pinte los bordes con agua y tápelos con los otros círculos, presionando los bordes para sellarlos.

> **7** Caliente el aceite a fuego lento en una sartén sin que llegue a humear y fría los ravioli, por tandas si es necesario, entre 1,5 y 2 minutos por cada lado, hasta que se doren.

> **8** Caliente ligeramente la miel en un cazo y repártala sobre los ravioli.

Espolvoree los ravioli con canela
y sírvalos calientes.

pastel de polenta y almendra

para 6 personas

ingredientes

200 g de mantequilla
(manteca) sin sal
reblandecida
200 g de azúcar dorado
extrafino

zumo (jugo) y ralladura fina
de 1 naranja pequeña
3 huevos batidos
200 g de almendras molidas
200 g de polenta
instantánea

1 cucharadita de levadura
en polvo
helado de vainilla, para
acompañar

> **1** Precaliente el horno a 180 °C. Engrase un molde redondo de 23 cm con un poco de mantequilla y cubra el fondo con papel para hornear.

> **2** Bata el resto de la mantequilla y el azúcar con una batidora de varillas hasta conseguir una masa suave y esponjosa.

> **3** Añada el zumo y la ralladura de naranja, los huevos y la almendra. Incorpore la polenta y la levadura y bata hasta obtener una textura suave.

> **4** Extienda la mezcla en el molde e iguálela con un cuchillo de untar.

>5 Metá el pastel en el horno precalentado de 35 a 40 minutos, hasta que esté cocido y dorado. Retírelo del horno y déjelo enfriar en el molde 20 minutos.

>6 Pase el pastel a una rejilla para que se enfríe.

Corte el pastel en porciones y sírvalo
caliente o frío con helado.

sorbete de prosecco con uvas

para 4 personas

ingredientes
150 g de azúcar extrafino
150 ml de agua
1 tira fina de cáscara de limón
zumo (jugo) de 1 limón
350 ml de vino prosecco
uvas y hojas de menta fresca,
  para decorar

>1 Vierta el agua y el azúcar en un cazo junto con la cáscara de limón.

>2 Cuézalos a fuego lento hasta que se disuelva el azúcar, y déjelo hervir 2 o 3 minutos para reducirlo a la mitad. Deje que se enfríe y retire la cáscara de limón.

Decórelo con uvas y hojas
de menta antes de servirlo.

>3 Mezcle el almíbar con el zumo de limón y
el prosecco, y después bata la mezcla en
una máquina de hacer helados siguiendo
las instrucciones del fabricante. También
puede verterla en un recipiente resistente
al frío y congelarla sin tapar, removiéndola
cada hora hasta que se congele.

>4 Cuando el sorbete esté listo para servir,
déjelo a temperatura ambiente para que
se ablande un poco, y sírvalo en copas
de helado.

panna cotta con ciruelas confitadas

para 4 personas

ingredientes
para la panna cotta
4 hojas de gelatina
300 ml de leche

250 g de mascarpone
100 g de azúcar extrafino
1 vaina de vainilla abierta
 a lo largo

para las ciruelas confitadas
8 ciruelas rojas, cortadas por la
 mitad y sin hueso
3 cucharaditas de miel clara
1 rama de canela

1 tira fina de cáscara
 de naranja
1 cucharada de vinagre
 balsámico

> **1** Remoje las hojas de gelatina en 4 cucharadas de leche durante 10 minutos.

> **2** Caliente la leche restante, el mascarpone, el azúcar y la vainilla en una cacerola a fuego lento, removiendo hasta que obtener una mezcla homogénea, y después llévela a ebullición.

> **3** Apártela del fuego, retire la vainilla y añada la mezcla de gelatina, removiendo hasta que se disuelva del todo.

> **4** Reparta la mezcla en 4 moldes de flan individuales de 200 ml y déjela enfriar en el frigorífico hasta que se solidifique.

>5 Ponga las ciruelas, la miel, la canela, la cáscara de naranja y el vinagre en una cacerola, y déjelo cocer a fuego lento 10 minutos o hasta que las ciruelas estén tiernas.

>6 Sumerja un instante la base de cada molde en agua caliente y vaya volcándolos sobre un plato.

Sirva la panna cotta junto con
las ciruelas confitadas.

siciliano

he

para

ingre...ias (glacé)

400... de agua

175...

1...

200 ml de nata (crema)

100 g de frutas confitadas
   picadas

50 g de angélica picada

50 g de guindas confitadas
   picadas

40 g de chocolate troceado

40 g de pistachos picados

frutas escarchadas, para
   decorar

> **1** Pase la ricota por un colador a un cuenco ayudándose de una cuchara de madera.

> **2** Incorpore el azúcar glas y el agua de azahar, y bata hasta obtener una textura uniforme.

> **3** Aparte, bata la nata hasta que espese lo suficiente como para mantener la forma y después incorpórela a la mezcla de ricota.

> **4** Eche la masa en una máquina de hacer helados o congélela en un recipiente resistente al frío hasta que empiece a solidificarse.

>5 Añádale las frutas confitadas, la angélica, las cerezas, el chocolate y los pistachos.

>6 Vuelque la mezcla en un molde de pudin de 1,25 litros y congélela hasta que adquiera textura sólida. Déjela a temperatura ambiente 10 o 15 minutos antes de darle la vuelta.

Corte el helado en porciones y sírvalo
acompañado de frutas escarchadas.

granizado de limón

para 4 personas

ingredientes
450 ml de agua
115 g de azúcar
225 ml de zumo (jugo)
 de limón
ralladura de 1 limón

>1 Caliente el agua a fuego lento en una
cacerola. Añada el azúcar y remueva
hasta que se disuelva. Lleve el almíbar a
ebullición y después retírelo del fuego y
déjelo enfriar.

>2 Añada el zumo y la ralladura de limón
al almíbar ya frío.

Repártalo en copas de
sorbete y sírvalo enseguida.

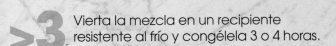

> **>3** Vierta la mezcla en un recipiente
> resistente al frío y congélela 3 o 4 horas.

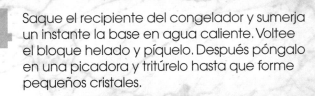

> **>4** Saque el recipiente del congelador y sumerja
> un instante la base en agua caliente. Voltee
> el bloque helado y píquelo. Después póngalo
> en una picadora y tritúrelo hasta que forme
> pequeños cristales.

Índice